MÜNSTERSCHWARZACHER KLEINSCHRIFTEN

herausgegeben von
den Mönchen der Abtei Münsterschwarzach

Band 1

Anselm Grün OSB

Gebet und Selbsterkenntnis

VIER-TÜRME-VERLAG MÜNSTERSCHWARZACH
1984

Anselm Grün OSB

Gebet und Selbsterkenntnis

VIER-TÜRME-VERLAG MÜNSTERSCHWARZACH
1984

CIP-Kurztitelaufnahme der Deutschen Bibliothek
Grün, Anselm:
Gebet und Selbsterkenntnis
Anselm Grün. - (2., neubearb. Aufl.). -
Münsterschwarzach : Vier-Türme-Verlag, 1984.
(Münsterschwarzacher Kleinschriften; Bd. 1)
ISBN 3-87868-197-6
NE: GT

10. Auflage 1999
Gesamtherstellung: Vier-Türme GmbH, D-97359 Münsterschwarzach Abtei

ISBN 3-87868-197-6
ISSN 0171-6360

Inhalt

EINLEITUNG

„Seelsorge" ist heute mehr und mehr die Domäne der Psychologie geworden. Die Psychologen sagen uns, was für die „Seele", für die „Psyche" des Menschen gut ist und was ihr schadet. Die Theologen scheinen ihr Vertrauen auf die eigene seelsorgliche Erfahrung verloren zu haben und versuchen nun, – manchmal kritiklos – auch für die Führung im geistlichen Leben psychologische Methoden zu übernehmen. Sicher kann die Seelsorge heute nicht mehr an den Erkenntnissen der Psychologie vorbeigehen. Doch statt alles Heil von der Psychologie zu erwarten und die Theologie an der Psychologie zu messen und ihr zu unterwerfen, wäre es „heilsamer" für die Menschen unserer Zeit, sich auf die psychologische Erfahrung der religiösen Praxis zu besinnen. Eine Theologie, die nur den verschiedensten psychologischen Schulen nachlaufen will, wird von den Psychologen nicht ernst genommen. Die Psychologen erwarten heute von den Theologen, daß sie die reiche Erfahrung, die die Beter aller Zeiten gesammelt haben, wieder entdecken und für den heutigen Menschen fruchtbar machen.

Die Gebetspraxis, die uns bei den Mönchen des 3. – 6. Jahrhunderts begegnet, ist eine Fundgrube für psychologische Erfahrungen. Für die alten Mönche klafften der religiöse und psychologische Weg noch nicht auseinander. Für sie war der rein religiöse Weg zugleich auch der psychologische. Der religiöse Weg beinhaltete all die psychologischen Erkenntnisse und Methoden, die heute eine sich selbständig machende Wissenschaft für sich beansprucht. Für die alten Mönche war das Gebet die Quelle der Selbsterkenntnis und ein Heilmittel für all die Wunden, die wir heute mit psychologischen Techniken zu heilen versuchen. Das Gebet hat zugleich analytische wie therapeutische Funktion. Im Gebet erkennt der Mensch alle seine Fehlhaltungen und Krankheiten, und betend erfährt er seine Heilung. Der Beter ist nicht bloß fromm, sondern er wird durch das Gebet auch ein reifer, gesunder, weiser, ein heiler Mensch, ein Mensch, von dem wir heute sagen würden, er hat zu sich selbst gefunden, er ist mit sich identisch geworden, er hat sich selbst verwirklicht.

Die Selbstverwirklichung, die wir heute durch zahlreiche psychologische und meditative Praktiken zu erreichen suchen, war für die Mönche das Ergebnis eines konsequent durchgehaltenen Gebetsweges. Allerdings war Selbstverwirklichung nicht das Ziel dieses Weges. Die Mönche wollten nicht sich selbst verwirklichen, sondern sie wollten Gott suchen. Beim heute angestrebten Ideal der Selbstverwirklichung steht der Mensch im Mittelpunkt. Alles dreht sich um ihn. Selbst Gott dient seiner Selbstverwirklichung. Meditative und religiöse Praktiken haben dann den Zweck, alle menschlichen Fähigkeiten zu entfalten. Man hat erkannt, daß auch die religiöse Anlage zur Ganzheit des Menschen gehört. Also muß sie entwickelt werden. Gott ist dabei nur Mittel zum Zweck. Er ist nicht als Gott interessant, sondern nur als Hilfe für meine Selbstverwirklichung. Die Mönche wollten nicht sich verwirklichen, sondern Gott suchen. Sie versuchten, alles in sich auszuräumen, was ihnen Gott verstellt. Dabei erfuhren sie, daß man nicht zu Gott finden kann, wenn man an sich selbst vorbeilebt, wenn man sich selbst nicht erkennt. Zur Gotteserkenntnis kommt man nur über die Selbsterkenntnis. Das hat schon der erste bedeutende Mönchsschriftsteller, Evagrius Ponticus († 399) erkannt:

Willst du Gott erkennen, so lerne dich vorher selbst kennen.[1]

Und lange vor ihm läßt Clemens von Alexandrien († 211) den Menschen von der Selbsterkenntnis zur Gotterkenntnis aufsteigen:

Es ist also, wie es scheint, die wichtigste von allen Erkenntnissen, sich selbst zu erkennen; denn wenn sich jemand selbst erkennt, dann wird er Gott erkennen.[2]

Ähnlich schreibt Nilus († ca. 430) in einem Brief an einen jungen Mönch:

Vor allem erkenne dich selbst. Denn nichts ist schwieriger, als sich selbst zu erkennen, nichts mühevoller, nichts verlangt mehr Arbeit. Doch wenn du dich selbst erkannt hast, dann wirst du auch Gott erkennen können.[3]

Die Selbsterkenntnis, die die Mönche meinen, hat zwei verschiedene Aspekte: Einmal erkennt sich der Mensch von der Größe Gottes her, die sich in ihm widerspiegelt. Der Mensch ist Bild Gottes. Dieses Verständnis der menschlichen Selbsterkenntnis finden wir vor allem bei Origines und Ambrosius und dann in Abhängigkeit davon bei den Mönchsschriftstellern des Mittelalters, bei Bernhard von Clairvaux († 1153) und Wilhelm von St. Thierry († 1148):

Erkenne dich, weil du mein Bild bist, und so wirst du mich erkennen, dessen Bild es ist. Bei dir wirst du mich finden.[4]

Zugleich jedoch soll der Mensch nach Bernhard erkennen, daß er ein verunstaltetes göttliches Bild ist:

Erkenne dich als Bild Gottes und erröte darüber, daß du es mit einem fremden Bilde überdeckt hast. Gedenke deines Adels und schäme dich eines solchen Abfalls! Verkenne doch deine Schönheit nicht, auf daß du noch mehr ob deiner Häßlichkeit erschauderst.[5]

Bei den Mönchen des 3. – 6. Jahrhunderts wird mehr der Aspekt des menschlichen Elends betont, auf den man bei der Selbsterkenntnis stößt. Selbsterkenntnis ist der Weg der Demut, auf dem man sich als Sünder erfährt, der sich weit von Gott entfernt hat:

Ein Bruder wandte sich an den Altvater Sisoes: „Ich sehe an mir, daß das Denken an Gott dauernd in mir ist." Der Greis sagte dazu: „Das ist nichts Großes, wenn dein Denken bei Gott ist. Groß ist es vielmehr, einzusehen, daß man unter allen Geschöpfen steht. Das und die körperliche Mühe führen zur Gesinnung der Demut." [6]

So meint auch der Vater der Mönche, Antonius († 356), daß es darauf ankomme, sich vor Gott als Sünder zu erkennen:

Der Altvater Antonius sprach zum Altvater Poimen: „Das ist das große Werk des Menschen, daß er seine Sünde vor das Angesicht Gottes emporhalte, und daß er mit Versuchung rechne bis zum letzten Atemzug."[7]

Beide Aspekte gehören zur menschlichen Selbsterkenntnis: der Mensch ist Gottes Bild. Er soll seine Würde erkennen, seine Schönheit, das Gute, das Gott in ihn hineingelegt hat, seine Fähigkeit, zur Wohnung Gottes zu werden. Und zugleich soll er alles in sich bloß legen, was dieses Bild verdeckt und entstellt, er soll all die Dunkelheit, das Böse, das Verkehrte und Verbildete, das Dämonische in sich aufdecken. Dann wird Gott ihn heilen, das ursprüngliche Bild wieder herstellen, ihn zu dem werden lassen, als der er gemeint war. Und das ist nichts anderes als Selbstverwirklichung des Menschen. Der Mensch verwirklicht sich als Bild Gottes, oder besser gesagt: Gott verwirklicht im Menschen sein Bild. Der Weg dahin geht für die alten Mönche über das Gebet.

1. Gebet als Quelle der Selbsterkenntnis

a) Das Gebet zwingt zur Selbsterkenntnis

Im Gebet wollen die Mönche mit Gott sprechen und ihr Herz Gott zuwenden. Doch immer wieder erfahren sie, daß Gott den Betenden zwingt, sich auf sich selbst zu besinnen und sich zuerst mit dem eigenen Herzen zu beschäftigen. So schreibt Augustinus, wie Gott ihn immer wieder auf sich selbst zurückstößt:

Du aber Herr, du hast mich zu mir selbst gewendet, der ich mir selbst den Rücken kehrte, weil ich mich nicht sehen wollte, und hast mich Angesicht in Angesicht mit mir gestellt, auf daß ich sehe, wie häßlich ich sei und krüppelhaft, wie voller Schmutz und Flecken und Geschwüre. Und ich sah und erschrak und wußte doch nicht, wohin ich hätte vor mir fliehen können.[8]

Wir können im Gebet uns selbst nicht entfliehen. Gott läßt sich nicht als Fluchtweg mißbrauchen. Das zeigt er uns, indem er uns im Gebet immer wieder unsere Gefühle und Gedanken auftauchen läßt und uns so unseren eigenen inneren Zustand bloßlegt. Abbas Nilos sagt vom Gebet:

Alles, was du aus Rache gegen einen Bruder tust, der dich beleidigt hat, wird in der Stunde des Gebetes in deinem Herzen auftauchen.[9]

Und ein Altvater hält alles Beten, das uns nicht mit uns selbst und unserer Wirklichkeit konfrontiert, für zwecklos:

Wenn sich ein Mensch in seinem Gebet nicht an seine Handlung erinnert, bemüht er sich mit seinem Beten ins Leere.[10]

Es ist also eine Erfahrungstatsache, daß das Gebet mich zur Selbsterkenntnis zwingt. Die Mönche geben dafür auch Gründe an: Sobald man anfängt zu beten, werden die Dämonen eifersüchtig und suchen den Beter am Beten zu hindern, indem sie schlechte Gedanken, Leidenschaften und Emotionen in ihm hervorrufen.

Der Mönch soll sich nicht darüber wundern, sondern es als normal ansehen, ja sogar darauf warten, wie Evagrius meint:

Wenn du betest, wie es sich ziemt, erwarte, was sich nicht ziemt, und halte tapfer stand![11]

Wenn Gedanken und Leidenschaften uns am Beten hindern, bleibt nichts anderes übrig, als das Gebet zu lassen und uns erst mit den auftauchenden Gedanken zu beschäftigen.

Wilhelm von St. Thierry schildert recht anschaulich, wie gerade, wenn er zu beten anfängt, eine Flut von Gedanken auf ihn einströmt. Er unterdrückt und verdrängt dann diese Gedanken nicht, um andächtig beten zu können, sondern wendet sich ihnen ganz bewußt zu. Er versucht, ihnen auf den Grund zu gehen, in dem Glauben, nur so die Störung beseitigen zu können.

So lasse ich also meine Gabe vor dem Altar liegen, und voll Ungeduld mit mir selbst gehe ich mir selbst auf den Grund. Ich begehre auf gegen mich selbst, zünde die Lampe des Wortes Gottes an und betrete mit grimmigem und erbittertem Geist entschlossen das finstere Gebäude meines Bewußtseins, um endlich zu klären, woher diese Finsternis, dieses abscheuliche Dunkel stammt, das mich vom Licht meines Herzens trennt.
Da fliegt mir auch schon ein übler Mückenschwarm in die Augen und bringt es fast fertig, mich aus der Wohnung meines eigenen Bewußtseins zu vertreiben. Aber ich bin fest entschlossen, mir Eintritt zu verschaffen, denn schließlich steht mir hier das Hausrecht zu. Da stürzt sich eine Flut von Gedanken auf mich, völlig undiszipliniert und bunt und verworren, und das Herz des Menschen kann sie unmöglich sichten und klären, dieses Herz, das sie doch selbst hervorgebracht hat.
Ich bleibe indes hartnäckig und setze mich auf einen Stuhl, wie wenn ich über sie zu Gericht sitzen wollte.

Ich befehle ihnen, sich vor mir aufzustellen, damit ich das Gesicht und die Bedeutung eines jeden einzelnen sehen kann, um jedem seinen geziemenden Platz in meinem Haus zuzuweisen.[12]

Nachdem er den Nebel seiner Gedanken gelichtet hat, wendet er sich nun dem Ursprungsort, den Stimmungen und Emotionen zu, um in sein Gefühlsleben Ordnung zu bringen. Er weiß, daß hinter den Gedanken Gefühle stecken. Und erst, wenn die Emotionen wie Eifersucht, Zorn, Haß, und Ärger von der Liebe abgelöst werden, kommen die Gedanken zur Ruhe und er kann sich nun endlich Gott zuwenden:

So ist nun also alle Finsternis verscheucht, und ich kann mit gesünderen und klareren Augen auf dich blicken, du Licht der Wahrheit. Alles andere ist ausgeschlossen, und ich kann mich mit dir, o Wahrheit, einschließen und mich verbergen im Schatten deines Angesichts. Ich kann offener und vertrauter mit dir sprechen. Ich kann dir alle Abgründe meines Bewußtseins aufdecken.[13]

Der Mönch muß sich also im Gebet reflex mit sich selbst beschäftigen, sich und die auftauchenden Gedanken und Stimmungen beobachten und nach den Ursachen fragen. Die Selbsterkenntnis ist jedoch nicht Selbstzweck, sondern dient dem besseren Gebet. Durch die Selbsterkenntnis soll alles weggeräumt werden, was das Gebet stört und es zu verhindern sucht. Der Mönch kann die Gedanken und Stimmungen, die ihn gefangennehmen und vom Gebet abhalten, nicht einfach abschütteln oder unterdrücken, er kann sie nur loslassen, wenn er sich ihnen reflex zuwendet und ihnen auf den Grund geht. Wenn die Mönche immer wieder zu konsequenter Selbstbeobachtung und Selbsterkenntnis aufrufen, so haben sie als Ziel die Ermöglichung des echten Gebetes vor Augen.

Für Antonius gehört es zum Mönch, daß er sich selbst kennt:

Es ist sehr gut für uns, daß wir uns in unsere Zelle zurückziehen und während unseres Lebens viel über uns selbst nachdenken, bis wir wissen, welcher Art wir sind.[14]

Und vom hl. Benedikt schreibt Gregor:

Er erforschte sich unablässig und ließ den Blick seines Herzens nicht nach außen schweifen.[15]

Die Philokalie (eine Sammlung von Schriften über das Jesusgebet) nennt das Ziel der Selbstbeobachtung ausdrücklich:

Je mehr ihr die Aufmerksamkeit auf euere Gedanken richtet, desto besser könnt ihr mit einer glühenden Sehnsucht zu Jesus rufen.[16]

Die Selbsterkenntnis ist Bedingung für das Gebet:

So ist es für das Leben des Gebetes unerläßlich, die einzelnen Anfechtungen zu kennen und die eigenen Seelenregungen, wie auch alle äußeren Einwirkungen sorgsam zu überwachen.[17]

Das Gebet zwingt uns zur Selbsterkenntnis, weil wir ohne unsere innersten Gedanken und Strebungen zu kennen, nicht gesammelt beten können. Ohne innere Wachsamkeit werden wir beim Gebet ständig von Zerstreuungen geplagt.

Umgekehrt aber sind die Zerstreuungen, die beim Gebet immer wieder auftauchen, ein gutes Mittel, sich selbst zu erkennen. I. Hausherr, einer der besten Kenner des alten Mönchtums, meint, die Zerstreuungen beim Gebet hätten die gleiche Funktion für die Selbsterkenntnis wie die Träume:

Die Zerstreuungen sind sehr wertvoll auf Grund der Hinweise, die sie geben. Sie sind eine Art von Wachträumen über das, was uns beschäftigt.[18]

Wie die Träume uns Aufschluß über das geben, was auf dem Grund unserer Seele, in unserem Unbewußten vor sich geht, so auch die Zerstreuungen, die ja auch aus dem Unbewußten stammen. Sie zeigen die Neigungen unseres Herzens. Wenn wir merken, daß wir immer wieder an das Gleiche denken, an bestimmte Menschen, Ereignisse, oder daß uns immer wieder die gleichen Probleme oder Pläne im Kopfe herumschwirren, so können wir daraus sehr wertvolle Rückschlüsse über uns selbst ziehen. Und sobald wir uns auf diese Weise selber besser erkannt haben, werden die Zerstreuungen nachlassen, und wir werden fähig, gesammelt zu Gott zu beten.

b) Gebet als Hilfe zur Selbsterkenntnis

Selbsterkenntnis ist nicht bloß Voraussetzung für das Gebet, sondern umgekehrt ist das Gebet eine Hilfe für den Menschen, sich selbst zu erkennen.

Es gibt nichts, was das Herz mehr durchforscht als das Gebet. Wenn wir beten, treten wir in die heilige Gegenwart Gottes und werden bis ins Innerste durchleuchtet. Alles wird offenbar.[19]

Das Gebet stellt uns vor Gott. Gottes Licht leuchtet hinter die Fassade meines Tuns und Denkens. Es läßt mich erst die wahren Motive meines Handelns und die Ursachen meiner Gedanken und Stimmungen entdecken. Für die Philokalie ist es der hl. Geist, der allein wahre Selbsterkenntnis ermöglicht:

Nur der Hl. Geist verleiht wahre Selbsterkenntnis, ohne ihn kann auch der Klügste sich nicht gebührend erkennen oder seinen inneren Seelenzustand wahrnehmen.[20]

Manches würde ich in mir ohne das Gebet gar nicht entdecken. Denn gerade durch die Konfrontation mit Gott wird mir bewußt, was in mir verkehrt ist. Das Gebet deckt auf, was reine Selbstbeobachtung nie sehen würde:

Das Jesus-Gebet besitzt die Eigenschaft, die im Herzen nistenden, verborgenen Leidenschaften hervorzulocken, die Gefangenschaft aufzudecken, in der der Versucher uns hält.[21]

Die Fähigkeit des Gebetes, uns zu tieferer Selbsterkenntnis zu führen, gründet darin, daß es uns mit einer Person, mit Gott konfrontiert. Gebet ist nicht Monolog, nicht Selbstbespiegelung, sondern Gespräch, Begegnung mit einer von mir unabhängigen Person. Das ermöglicht mir einen Standort außerhalb von mir, von dem aus ich mich weit objektiver und umfassender erkennen kann, als wenn ich in bloßer Selbstbeobachtung um mich kreise und nicht von mir loskomme. Der Mensch, der nur auf sich sieht, ist blind gegenüber vielen Seiten seines Wesens: Indem ich im Gebet von mir weg auf Gott sehe, kann ich nun von Gott her auf mich blicken und mich im Lichte Gottes weit besser erkennen.

Von der Psychologie her erklärt C. G. Jung die für die menschliche Selbsterkenntnis positive Funktion des Gebetes so: Das Gebet stellt den Menschen in die Zweiheit des Ich und des jenseitigen Du. Diese Zweiheit ermöglicht es dem Menschen, aus seinem kleinen Ich auszubrechen, um sich von einer andern Warte aus zu sehen.[22] Durch das Gebet kann der Mensch, der normalerweise allzusehr vom Bewußten her lebt, auch das Unbewußte zur Sprache kommen lassen. Jung nennt das Gebet ein colloquium cum suo angelo bono, und versteht es als Gespräch mit dem eigenen Unbewußten, das dadurch seine

Die Selbstbeobachtung ist also schon Gebet. Indem der Mensch über sich nachdenkt und seine Gedanken von Gott hinterfragen läßt, betet er.

So versteht es auch Evagrius, wenn er einem Mönch rät:

Er soll die Gedanken beobachten, ihre Dauer wahrnehmen, ihr Nachlassen, ihre Verwicklungen und Zusammenhänge, ihre Zeiten und welche Dämonen sie bewirken. Dann: welcher Dämon welchem folgt, wer wen nicht begleitet. Und von Christus verlange er ihre Ursachen und Gründe zu erfahren.[27]

Im Gespräch mit Christus, also im Gebet soll der Mönch die Ursachen und Hintergründe seiner Gedanken erfahren. Dieses Gespräch mit Gott über sich selbst ist nicht bloße Vorbereitung, sondern selbst schon Gebet. Thema dieses Gespräches zwischen Gott und dem Menschen ist hier der Mensch selbst. Der Mensch soll mit Gott über sich selbst sprechen, er soll vor Gott sein Leben ausbreiten, um von Gott her eine Deutung seines Lebens zu erhalten. Wenn hier der Mensch zum Thema des Gebetes wird, so bedeutet das freilich nicht, daß Gott zu einem Mittel menschlicher Selbstverwirklichung degradiert wird. Ziel des Gebetes ist vielmehr die Begegnung des Menschen mit Gott. Aber damit der Mensch als der, der er ist, Gott begegnen kann, darf er sich selbst nichts vormachen, sondern muß erst seine Gedanken und Gefühle vor Gott bloßlegen. Erst wenn er im Gespräch über sich selbst erkannt hat, wer er eigentlich ist und in welchem Zustand er sich befindet, erst dann kann echte Begegnung stattfinden, in der sich der Mensch nicht hinter einer frommen Maske versteckt, sondern Gott an sich selbst heranläßt, hautnah heranläßt, ohne fromme Umhüllungen.

Benedikt empfiehlt, mit dem ankommenden Gast zuerst zu beten, bevor man ihm den Friedensgruß gibt. Und als Begründung führt er an: „wegen der Vorspiegelung des Satans",[32] die man offensichtlich erst im Gebet erkennt. Das Gebet läßt mich alle Vorurteile und den Grund meiner Antipathien erkennen und schenkt mir so einen offenen Blick für den Wert des andern.

Durch das Gebet füreinander werden wir entdecken, daß wir im Innersten mit allen Menschen verbunden sind, daß auch all das Dunkle und Böse der anderen in uns selber ist. Im Gebet für den andern vergeht uns die Lust, alle Schuld auf die andern zu schieben, im Gegenteil wir werden mehr und mehr erkennen, daß wir selbst schuld sind, wenn der andere sich so verhält, daß jedermann ihn ablehnt und verurteilt. Dostojewski läßt den Starez Sossima immer wieder die Erkenntnis der Mönche verkünden, daß jeder Mensch vor allem und in allem schuldig ist:

> Es gibt nur eine Rettung: mache dich selbst für die Sünde der Menschen verantwortlich. Es verhält sich in Wahrheit so, Freund, und du wirst, sobald du dich aufrichtig für alle und für alles verantwortlich machst, sofort die Richtigkeit einsehen und erkennen, daß du wirklich allen gegenüber für alles schuldig bist.[33]

Wer versucht, den andern im Lichte Gottes zu sehen als einen, den Gott liebt, der hört auf, seine eigenen Fehler und Schwächen auf den andern zu projizieren. Das Gebet für den andern ist ein wirksames Mittel, Projektionen abzubauen und das eigene Innere zu erkennen. Zugleich führt das Gebet auch zu einer besseren Kenntnis des andern, einer Kenntnis, die nicht verurteilt, sondern versteht, um mit dem andern mitzuleiden.

Eine weitere Gebetsmethode, die zur Selbsterkenntnis führt, ist das Danken. Benedikt rät in seiner Regel immer wieder zu dieser Methode. Er verzichtet darauf, den Mönchen schwierige Situationen zu erklären und fordert sie auf, für Unbilden und Härten zu danken. Dankend werden sie erkennen, was Gott damit will und wie weit sie bereit sind, sich in den Willen Gottes einzustimmen. So sagt er im 40. Kapitel „Über das Maß des Getränkes", wenn es keinen Wein gebe, dann sollten die Mönche Gott danken, anstatt zu fragen, warum. Der Pförtner soll bei jedem ankommenden Gast sagen: deo gratias, gleich ob der Gast ihm sympathisch oder unsympathisch ist, ob er ihm gelegen oder ungelegen kommt.[34] Nur so ist er offen, dem andern ohne Vorurteile zu begegnen.

Im Danken versuche ich, alles so anzunehmen, wie Gott es gibt. Indem ich Gott für die Ereignisse meines Lebens danke, für die schönen wie für die leidvollen, nehme ich mich mit meiner Vergangenheit an. Und nur was ich angenommen habe, kann ich wirklich erkennen. Erst indem ich mich annehme als einen, den Gott so gewollt hat, kann ich mich selbst erkennen. Dann wird mir aufgehen, was Gott sich mit mir ausgedacht hat, was das Bild ist, das in mir Gestalt werden soll. Das Gleiche gilt für die vielen Ereignisse und Widerfahrnisse. Ihren wahren Sinn entdecke ich erst, wenn ich darauf verzichte, selbst hinter den Sinn kommen zu wollen, und stattdessen Gott dafür danke, daß er mir all das zugemutet hat. Im Danken verzichte ich auf meine eigenen Lösungsversuche und vertraue Gott, daß er es gut gemeint hat. Und dieses Vertrauen führt zur Erkenntnis, zu einer Erkenntnis nicht aus eigener Kraft oder Intelligenz, sondern aus Gnade. Für ein Unglück zu danken, an dem ich zu zerbrechen drohe, für einen Mitmenschen zu danken, der mich aufreibt, scheint widersinnig. Doch sobald ich anfange, Gott dafür zu danken, werde ich spüren, wo ich mich Gott widersetze, wo ich Gott in meine Vorstellungen zwingen will. Im Danken lasse ich die selbst gemalten Gottesbilder los und überlasse mich dem wahren Gott, der mir dann auch die oft genug schmerzliche Wahrheit über mich selbst enthüllen wird.

2. Gebet und Zerknirschung des Herzens

Die Selbsterkenntnis, die das Gebet uns vermittelt, darf nicht auf der rationalen Ebene stehen bleiben, sie muß existentiell werden. Die Philokalie spricht von schmerzlichster Selbsterkenntnis, von einer Selbsterkenntnis, die zu Herzen geht, die vom Kopf in das Herz rutscht und dort Schmerz hervorruft. Dadurch erhält die Selbsterkenntnis eine andere Qualität:

> Solange der Verstand im Kopfe weilte, war deine Betrachtung ins Allgemeine abgewichen. Das Herz bewegt dagegen das Besondere, das dich selbst angeht. Ohne alles Abschweifen und Entschuldigen wendet es dir alles von der wirksamsten Seite zu, die dich am tiefsten ergreift. Du erlebst unmittelbar deine eigenen Fehler und Schwächen, wie das Licht oder Dunkel der Dinge.[35]

Die alten Mönchsväter sprechen hier von der Zerknirschung des Herzens, compunctio cordis, von der Trauer (penthos) und von den Tränen.[36] Dieses für den geistigen Weg der Mönche so wichtige Thema erscheint uns heute auf den ersten Blick unverständlich. Doch es lohnt sich, diesem Thema nachzugehen. Denn nur so können wir die Selbsterkenntnis, die das Gebet meint, richtig verstehen.

Selbsterkenntnis ist für die Mönche kein psychologisches Wissen um sich selbst, vor allem kein neugieriges Entdecken von psychologischen Zusammenhängen, über die man dann klug und interessant reden könnte. Der Mönch betrachtet sich selbst nicht als Objekt, das er erforschen möchte, sondern es geht ihm in der Selbsterkenntnis um Gott, den er erfahren, dem er begegnen möchte. Selbsterkenntnis ist immer Erkenntnis seiner selbst vor Gott, und das bedeutet: Erkenntnis der eigenen Sündhaftigkeit vor dem heiligen Gott. Die Erkenntnis der eigenen

Sünde kommt zeitlich nicht nach oder vor der Erkenntnis Gottes, sondern indem ich meine Sünde erkenne, erkenne ich auch Gott, und indem ich Gott begegne, stoße ich auch auf meine Sünde. Die Selbsterkenntnis des Gebetes ist nicht objektivierbar, sondern geschieht in der Begegnung und trifft mich daher ins Herz. Meine Sünde kommt mir vor Gott, vor einer Person, die mich liebt, die mich wohlwollend anschaut, schmerzlich zum Bewußtsein.

Die Reaktion auf die Erkenntnis der eigenen Sünde ist die Trauer, die Zerknirschung, die Reue, das Weinen. Die Mönche fordern immer wieder, über seine Sünden zu weinen, und zwar auch dann noch zu weinen, wenn man längst Vergebung erfahren hat. In der Trauer und im Weinen geht es nicht um einzelne Sünden und Fehler, sondern um mich als Sünder, als Menschen, in dem die Sünde wohnt. Die Tränen entspringen der Trauer über die Trennung von Gott, der Trauer um das verlorene Heil. Die Trauer ist zugleich Sehnsucht nach dem Heil, nach Integrität, nach Harmonie zwischen Seele und Leib, nach Frieden, nach der Fähigkeit, ungeteilt lieben zu können. Die Trauer hat nichts mit Traurigkeit (lype) zu tun, die die Mönche zu den 8 Lastern zählten, nichts mit Lustlosigkeit und depressiver Stimmung, nichts mit Pessimismus und Resignation. Die Traurigkeit trocknet das Herz aus, raubt ihm die Spannkraft und macht es leer. Die Trauer dagegen äußert sich in Tränen, in unaufhörlichem Weinen über die eigenen Sünden. Traurigkeit lähmt oder zerstört, Trauer befruchtet und macht lebendig. Für Evagrius ist es gerade ein Zeichen der acedia (Trägheit), eine harte Seele zu haben, die keine Tränen vergießen will.[37] Und er empfiehlt, zu Beginn jedes Gebetes um die Gabe der Tränen zu bitten, „damit du durch die Trauer das, was hart ist in deiner Seele, aufweichst".[38]

Die Mönche unterscheiden zwischen verschiedenen Arten der Tränen. Es gibt kindische Tränen, die man vergießt, wenn man nicht erhält, was man will, es gibt Tränen des Gekränktseins, der Angst, Tränen des Zorns, der Wut, der Ohnmacht, und es gibt Tränen, mit denen man sich selbst bemitleidet. All diese Tränen können nicht heilen, im Gegenteil, sie halten uns in der Fehlhaltung fest, sie bestärken in uns die Wut, das Gekränktsein, das Selbstmitleid. Cassian setzt diesem Weinen „wegen der Ängste dieses Lebens und der Not und Mühsal", die uns bedrücken, andere Formen des Weinens entgegen: ein Weinen, das entsteht, „wenn der Stachel der Sünde unser Herz trifft'',[39] das „aus der Betrachtung der ewigen Güter und der Sehnsucht nach jener künftigen Herrlichkeit" kommt, ein Weinen aus Furcht vor der Hölle und ein Weinen über die Verhärtung und Blindheit anderer. Wenn die Mönche das Lob der Tränen anstimmen, so meinen sie vor allem das Weinen über die eigenen Sünden, das aber ununterscheidbar zugleich ein Weinen aus Sehnsucht nach Gottes Heil ist.

Für Isaak von Ninive (5. Jhd.) sind die Tränen ein Zeichen dafür, daß man der Wahrheit der Dinge nahe gekommen ist:

Zur selben Zeit, wo die Gnade angefangen hat, deine Augen zu öffnen, so daß du die wahre Gestalt der Dinge merkst, beginnen deine Augen Tränen zu vergießen, bis daß sie durch ihre Menge deine Wangen abwaschen, und der Andrang der Sinne wird zur Ruhe gebracht, indem sie friedlich in dir eingeschlossen werden.[40]

Und I. Hausherr meint zur Erkenntnisfunktion des Weinens:

Weinen ist unsere Weise, der Wahrheit näher zu kommen, die ein göttliches Attribut ist. Weinen heißt, die Wahrheit über uns selbst zu erkennen, selbst wenn sie uns nicht angenehm ist.[41]

Weinen ist also ein Zeichen, daß man der Wahrheit begegnet ist, daß man sich selbst begegnet ist, ohne sich vor sich zu verstecken. Im Weinen steckt eine eigene Kraft der Erkenntnis. „Wir werden weinen . . . und alles verstehen",[42] so drückt Dostojewski diese Erfahrung aus, daß uns im Weinen die Wahrheit der Dinge aufgeht.

Im Weinen stößt der Mensch auf sich selbst. Weinend wird ihm auf einmal alles klar: seine Erbärmlichkeit, seine unlauteren Motive und Absichten, seine Bosheit, seine Fluchtversuche, sein tief sitzender Egoismus. Das mühsam errichtete Gebäude seiner Tugendhaftigkeit bricht im Weinen jäh zusammen. Er kommt sich hinter all seine Schliche, mit denen er sich ständig etwas vormacht. Dem Weinenden fehlen die Worte, um sich und seinen Zustand zu erklären, Worte, hinter denen er sich wiederum verstecken könnte. Im Weinen begegnet sich der Mensch schonungslos, ohne Distanz zu sich selbst, er erlebt sich durch kein Medium mehr, das er selbst noch in der Hand hat. Selbst die Gedanken entschwinden ihm, an denen er sich noch festhalten könnte. Weinen ist Begegnung ohne Vermittlung, ohne Zwischenglieder. Im Weinen läßt der Mensch die Herrschaft über sich aus der Hand, er läßt sich los und überläßt sich dem Weinen, das ihn packt. Das Weinen wird für ihn nun zur einzig möglichen Antwort auf eine Erfahrung, auf die er selbst nicht mehr zu antworten weiß. Der Körper übernimmt für ihn die Antwort, indem er in Tränen ausbricht. Der Verstand, der Geist bleibt sprachlos.[43]

Sobald im Weinen alle Selbstrechtfertigungsversuche zerschlagen und alle Masken gefallen sind, kann der neue Mensch entstehen, den Gott in seiner Gnade schafft, der heile Mensch, nach dem wir uns sehnen. Die Tränen sind für Ephrem den Syrer († 373) die Bedingung, daß der neue Mensch entstehen kann:

Durch die Tränen und durch Gottes Güte wird die Seele, die tot war, auferweckt.[44]

Und André Louf schildert diesen neuen Menschen, der die Schwelle der Zerknirschung überschritten hat und über seine Sünden Tränen der Reue vergießt, die sich heimlich in Tränen der Freude über das neuerfahrene Leben wandeln:

Von jetzt ab ist er ganz befriedet, nachdem er, einzig aus Gnade, zerstört und von Grund auf gänzlich wiederhergestellt worden ist. Er erkennt sich nicht wieder. Er hat den Abgrund der Sünde berührt und im gleichen Augenblick den Abgrund der Barmherzigkeit gestreift. Er hat gelernt, vor Gott zusammenzubrechen, seine Maske und seine Waffen abzulegen. Schließlich findet er sich wehrlos vor Ihm, über nichts mehr verfügt er, um sich gegen Seine Liebe zu verteidigen. Er ist nackt und bloß. Seine Tugenden, seine eigenen Pläne, heilig zu werden, sind ihm aus der Hand genommen. Mühsam hält er nur noch sein Elend fest, um es vor der Barmherzigkeit auszubreiten. Gott ist wahrhaft Gott für ihn geworden und nur Gott, nämlich der Erlöser von seiner Sünde. Schließlich versöhnt er sich sogar mit dieser Sünde, um über seine Schwachheit glücklich zu sein. An seiner Vollkommenheit liegt ihm von nun an nichts mehr: sie ist vor Gottes Augen nur schmutzige Wäsche (Is 64,5). Seine Tugenden besitzt er nur noch in Ihm: sie sind Wunden, doch durch die Barmherzigkeit Gottes verbundene und geheilte Wunden. Er kann nur noch Gott die Ehre geben, der in ihm wirkt und unaufhörlich seine Wunder vollbringt.[45]

In den Tränen weint der Mönch nicht bloß über seine Sünden, sondern zugleich über die erfahrene Vergebung. Er kann nicht mehr unterscheiden, ob er mehr über sich und seine Erbärmlichkeit weint, oder über die Liebe Gottes, die ihn umfängt und ihn aus seiner Niedrigkeit emporhebt. Indem er sich im Weinen seiner eigenen Sünde stellt, erfährt er auch, was Gnade ist, was Liebe Gottes bedeutet: Liebe zum Unansehnlichen, Annahme des Unannehmbaren. In den Tränen läßt der Mönch nicht nur seine Sünde an sich heran, sondern auch Gottes Liebe. Das Herz reagiert auf Gottes Liebe mit Tränen. Gottes Liebe durchbohrt und verwundet das Herz und läßt daraus Tränen hervorbrechen. Der Weinende verschließt sich nicht Gottes Liebe gegenüber, sondern von ihr verwundet wird er fähig, sie zu erfahren.

Die Mönche singen immer wieder Lobeshymnen über die Tränen, die zugleich Tränen der Trauer wie der Freude sind. Sie sprechen von der charopoion penthos, von der freudebringenden Trauer. Die Tränen vertreiben Traurigkeit und Furcht und bewirken eine tiefe innere Freude. Climacus († 600) sagt von den Tränen:

Die Tränen benehmen die Furcht, und wo keine Furcht mehr ist, da leuchtet das ungetrübte Licht der Freude, aus dieser unvergänglichen Freude aber entsteht die Blüte der heiligen Gottesliebe.[46]

Petrus Damiani († 1072) schreibt einen nicht endenwollenden Lobeshymnus „De laude lacrymarum".[47] Die Tränen waschen von den Sünden rein, tilgen die Spuren, die die Sünden im Herzen zurückgelassen haben, sie reinigen das Herz. Sie sind ein Bad für die Seele, das sie nicht nur reinigt, sondern auch erquickt und mit Wohlgefallen erfüllt. Die Tränen befruchten die Seele, beleben sie neu. Sie bewirken einen tiefen inneren Frieden. Leidenschaften und verwirrende Gedanken schwinden. Die Tränen schützen vor Zerstreuung und sammeln den Geist in reinem Gebet auf Gott hin. Die Tränen zerbrechen den Stolz und vertreiben alle Gedanken, an denen sich der Mensch immer noch stolz festklammern möchte. Sie überlassen das Herz dem liebenden Gott und erfüllen es mit Freude.

O geistliche Wonne der Tränen, süßer als Honig und Honigseim und aller Nektar![48]

So begeistert preist Petrus Damiani die freudebringenden Tränen.

Evagrius sieht in den Tränen eine Bedingung für ein gutes Gebet und für die Begegnung mit dem wirklichen Gott. Ohne Tränen begegnet man nicht dem wahren Gott, sondern immer noch den Gebilden der eigenen Phantasie. Für Evagrius sind die Tränen Kriterium für die Verbundenheit mit Gott:

Wenn du glaubst, im Gebet über deine Sünden keine Tränen vergießen zu müssen, so bedenke, daß du dich weit von Gott entfernst. Willst du mit ihm für immer verbunden sein, so vergieße heiße Tränen.[49]

Wer Gott an sich heranläßt, sich von ihm überwältigen läßt, der bricht in Tränen aus. Darin sieht Evagrius sogar einen zwingenden Zusammenhang:

An Deum timeas, e lacrymis agnoscito! Ob du Gott fürchtest, erkennst du an den Tränen.[50]

Wenn du nicht weinen kannst, sagt uns Evagrius in diesem prägnanten Satz, brauchst du dir nicht einzubilden, daß du etwas von Gott erfahren hast. Die Tränen sind Zeichen der Nähe Gottes, Ausdruck von Gotteserfahrung, leiblicher Ausdruck der erfahrenen Nähe des liebenden Gottes. Für Guigo den Karthäuser († 1137) sind die Tränen Zeichen von Gottes Ankunft, Zeugen und Boten seines Trostes und seiner Freude:

In diesen Tränen erkenne, o Seele, deinen Bräutigam und umarme ihn. Sie sind wunderbare Gaben und Tröstungen, die dir dein Bräutigam gab.[51]

Die Tränen sind also die Reaktion des Menschen auf das Nahekommen Gottes, eine Reaktion, die Gott selbst hervorruft, um sich von uns erfahren zu lassen. Der Philosoph H. Plessner, einer der wenigen, die sich in neuerer Zeit mit dem Phänomen des Weinens befaßt haben, erklärt das Weinen „als Ergriffenheit im Ganzen, der sich der Mensch ohne Vorbehalt ausliefert, so daß er nicht mehr in Distanz zu antworten vermag."[52] Entscheidend für das Weinen ist der Mangel an Distanz zu dem, das einen ergreift und übermannt. Ergriffensein „ist Begegnung mit der Sache selbst ohne Zwischenglieder. Unser auf Verhältnisse und Verhältnismäßiges angelegtes Verhalten gerät hier an ein absolutes Ende."[53] Im Weinen trifft mich Gott selbst, ohne Vermittlung von Worten oder Bildern, Gott selbst rückt mir auf den Leib. Das zerbricht alle Verhaltensweisen, in denen ich mich noch in der Hand habe und die ich je nach Wunsch einsetzen kann. Hier bleibt als einzige Antwort die Kapitulation, das Preisgeben aller beherrschbaren Verhaltensweisen. Im Weinen will ich nichts mehr erreichen, ich lasse mich nur noch treffen, ergreifen. Allerdings sind die Tränen hier noch nicht allein das Kriterium, ob ich mich ohne Vorbehalte in Gott hinein loslasse oder aber auf die eigene Gerührtheit aus bin und mein eigenes Gefühl genießen will. Dann würde ich nur wieder mir selbst begegnen. Das Weinen wäre nicht echt, nicht von der Begegnung mit

Gott hervorgerufen, sondern selbst erzeugt zur inneren Bereicherung. Das echte Weinen ist Gnade, es überkommt einen, wenn Gott selbst einen der Begegnung mit sich würdigt.

Die Tränen haben für die Mönche noch eine andere Wirkung. Sie vereinen Leib und Seele miteinander. Die Trauer entspringt gerade dem Zwiespalt zwischen Leib und Seele, der in der Sünde immer wieder aufbricht. Geist und Leib, Verstand und Gefühle klaffen infolge der Sünde auseinander. Maximus Confessor († 662) sagt, die Tränen stellen das Gleichgewicht zwischen den oberen und unteren Sinnen, zwischen Intellekt und Gefühl wieder her, sie vereinen den Menschen mit sich selbst.[54] Und Richard von Sankt Viktor († 1173) meint, das Ringen um die Tränen zeige das Verlangen, die Harmonie zwischen dem inneren und äußeren Menschen zu realisieren.[55] Die Tränen lassen die Gefühle nach außen treten. Sie beziehen den Leib mit ein in das Beten. Der Mensch reagiert auf Gottes Liebe nicht mehr bloß mit Gedanken, sondern mit seinem Leib.

Wenn die Tränen eine so positive Wirkung haben, gibt es dann Mittel, sie hervorzurufen, oder bleiben sie reines Geschenk, auf das man nur demütig warten kann? Cassian lehnt es ab, aus sich Tränen hervorpressen zu wollen, es wären unfruchtbare, erzwungene, krankhaft erzeugte Tränen.[56] Nilus rät einem, der nicht weinen kann, er solle das Verlangen danach erwekken und für einen Bruder danken, der weinen kann. Dann erhalte man Anteil an der Gabe des Bruders.[57] Nilus hält es offensichtlich für berechtigt, durch bestimmte Methoden nachzuhelfen, damit man weinen könne. So nennt er dem Diakon Agapitos auf seine Frage: „Was soll man denn tun, wenn man nicht mit den körperlichen Augen weinen kann?", folgende Methode: er solle sich vorstellen, wie man im Traum geweint habe. Dann könne man auch wachend weinen.[58] In einem Väterspruch werden weitere Ratschläge gegeben:

Der Alte sagte: „Weinen, das ist eine Haltung. Und der, der diese Gabe ersehnt, muß viel Zeit darauf verwenden, bis er seinen Geist daran gewöhnt, ständig seine Sünden und ihre Strafe zu meditieren, an das Grab zu denken und – mit einem Wort – mit allen Fasern seines Denkens es zu erwarten. Er soll meditieren, wie seine Väter ihre Zeit verbracht haben und wie sie jetzt sind." Der Bruder sagte: „Und der Mönch, soll der an seine Eltern denken, Vater?" Der Alte antwortete: „Wenn du weißt, daß dieser Gedanke deine Seele zum Weinen bringt, dann tu es; und wenn die Tränen kommen, drehe sie in die Richtung, die du willst, sei es auf deine Sünden, sei es auf einen andern guten Gedanken. In der Tat kenne ich einen Bruder: wenn sein Herz hart war, dann schlug er sich selbst einige Male und unter dem Schmerz der Schläge weinte er. Dann dachte er an seine Sünden."[59]

Hier wird also empfohlen, die Tränen durch natürliche Mittel hervorzurufen, durch Vorstellungen, bei denen man von Natur aus weint. Dann soll man die Tränen von den sie verursachenden Vorstellungen abziehen und sie über die eigenen Sünden vergießen. Manche Menschen werden durch einen traurigen Film oder durch Selbstmitleid oder durch sentimentale Rührung zum Weinen gebracht. Das ist nicht das Weinen, dessen fruchtbare Wirkung die Mönche preisen. Aber man kann dieses Weinen auf sich und seine Sünden oder auf Gott lenken und dann wird es ein befreiendes Weinen, ein Weinen, in dem man sich selbst loslassen kann, in dem die einmal aufgebrochenen Tränen alle Hartherzigkeit abwaschen und einen Gott näherbringen.

Wenn wir diese uns fremd anmutenden Gedanken der alten Mönche über das Weinen nach ihrer eigentlichen Bedeutung befragen, so ergeben sich einige Korrekturen für unser Beten. Wir sind so erzogen, daß wir unsere Tränen möglichst zurückhalten, ja daß wir überhaupt unsere Gefühle zurückhalten. Das gilt nicht nur für den zwischenmenschlichen Bereich, sondern auch für den religiösen, in dem wir aus Angst vor Sentimentalität oder bloßer Gefühlsfrömmigkeit uns lieber auf die rationale Ebene der Gotteserfahrung zurückziehen. Die Zerknirschung des Herzens, das Weinen über die eigenen Sünden sind Ausdruck, daß ich meine Gefühle zulasse, daß ich die Einsicht, daß ich Sünder bin, wirklich ins Herz hineinlasse. Im Kopf kann ich mich immer noch gegenüber Gott abschirmen und mich hinter den Gedanken über ihn verstecken. Im Weinen brechen alle Abwehrversuche zusammen, meine Masken fallen, ich stehe vor Gott da, wie ich bin, und stelle mich meiner eigenen Nacktheit.

Indem ich im Weinen meine Gefühle zulasse, werde ich fähig, mich selbst, die Menschen und Gott besser zu verstehen: „Echtes Verstehen gelingt nur dem, der zu fühlen vermag. Wer nichts fühlt, versteht weder die andern noch sich selbst."[60] Die Gefühle, die im Weinen aufbrechen, sind allerdings zu unterscheiden von den heftigen Emotionen, die nach der Lehre Cassians Zeichen dafür sind, daß die Wurzeln der Laster noch in mir sind. Plessner sieht den Unterschied zwischen echten und unechten Gefühlen darin, daß die echten von einer mir fremden Sache oder Person hervorgerufen werden, also durch die Begegnung mit einem andern, mit einem Du, mit Gott. „Im unechten Gefühl fehlt das Angesprochensein in der Sachbindung, und nur die Durchstimmtheit füllt den Menschen aus."[61] Im unechten Gefühl, in den Emotionen, die von uns Besitz ergreifen, kreisen wir nur um uns selbst, wir genießen uns selbst oder lassen uns resignierend durchstimmt werden von Traurigkeit, Gereiztheit, Zorn. In den Emotionen meldet sich immer das eigene Ich, das nicht in Ordnung ist, das sich selbst zu wichtig nimmt. Emotionen bringen den Menschen innerlich durcheinander. Das Weinen, das die Gefühle zuläßt, führt mich dagegen zu innerer Ruhe und Frieden. Climacus sagt, die Tränen verleihen eine

> vollkommene, über alle geräuschvolle Störung erhabene, glückselige Ruhe.[62]

Im Weinen kommen all meine unruhigen und mich verwirrenden Gedanken zur Ruhe. Denn weinend bin ich nicht im Kopf, in dem ich nie Ruhe finden würde, sondern im Herzen, das in den Tränen seinen inneren Frieden findet, weil es sich äußern darf. So wird die Erfahrung verständlich, daß man nach dem Weinen eine intensivere Stille spürt als nach Meditationsformen, die bewußt auf das Schweigen abzielen. Die Stille nach dem Weinen ist eine lebendige, von Liebe erfüllte Stille.

Das Äußern der Gefühle im Weinen hat eine kathartische und erneuernde Wirkung. Wenn der Mensch seine Gefühle nicht mehr genügend zum Ausdruck bringen kann, wird er krank. Denn die Gefühle, die unterdrückt werden, sind noch lange nicht abgestorben. Sie äußern sich dann in neurotischen Störungen oder in allerlei Süchten. Im Weinen darf mit den Gefühlen auch das Unbewußte nach außen treten. Die Mönche sagen, das Weinen verbinde den äußeren und inneren Menschen, den im Bewußtsein lebenden mit seinem Unbewußten. Das Weinen ist eine Sprache, in der sich das Unbewußte äußern kann. Worte versagen oft, das Unbewußte auszudrücken. Im Weinen tritt das Unbewußte ins Bewußtsein und kann so seine heilende Wirkung entfalten. Da die störenden Gedanken meist aus dem Unbewußten stammen und nie zu fassen sind, wenn der Mensch sein Unbewußtes verdrängt, wird auch von der Psychologie her verständlich, warum das Weinen uns innerlich tiefer und bleibender in die Stille führt als bloße Entspannungstechniken.

Im Weinen läßt der Mensch Schmerz und Leid an sich heran, in sich hinein. Heute versucht man mit allen Mitteln, Unlust und Leid zu meiden. Man schirmt sich dagegen ab. Es wird als Bedrohung für das innere Gleichgewicht empfunden. Doch das führt „unweigerlich in die Gefühlsverflachung und Lebensverarmung".[63] Der Mensch, der unfähig ist zu leiden, wird auch unfähig sich zu freuen. „Wo nichts mehr erlitten wird, gibt es auch kein großes Glück. Langeweile und Leere sind die Folge, Surrogatsuche ist der nächste Schritt."[64] Wer dem Schmerz aus dem Weg geht, wird auch unfähig zu lieben. Denn lieben kann nur, wer sich verwunden läßt. Im Weinen öffnet sich der Mensch dem Schmerz, nicht um ihn zu genießen, sondern um sich von ihm treffen zu lassen, um ihn in sich hineinzunehmen und zu verarbeiten. Die Psychologie spricht von Trauerarbeit und bedauert, daß die Menschen immer unfähiger werden zu trauern.[65] Im Trauern wird der Schmerz verarbeitet, integriert, aufgelöst und so geheilt.

Jede therapeutische Behandlung kennt das Stadium des Weinens. Eine Analyse hilft dem Patienten nicht, wenn sie ihm nur die Ursachen für seine Neurose bloßlegt. Das reine Wissen kann der Patient wieder als Abwehr dagegen benutzen, sich dem eigentlichen Problem stellen zu müssen. Eine Einsicht, die ich habe, nützt mir nichts. Erst wenn sie über mich hereinbricht, kann sie mich heilen. Ohne emotionale Beteiligung ist keine Änderung des menschlichen Verhaltens möglich. Erst wenn der verdrängte Schmerz ins Herz darf, kann der Mensch auf die Ersatzschmerzen verzichten, die er sich zulegt, um sich vor dem eigentlichen Schmerz zu schützen. Jung sagt: „Die Neurose ist stets ein Ersatz für legitimes Leiden."[66] Wenn der Mensch dem ihm zugemuteten Leiden aus dem Weg geht, flüchtet er sich in die Krankheit. Die Heilung kann erst beginnen, wenn er den verdrängten Schmerz, das abgelehnte Leiden zuläßt. Dieses Zulassen ist zumeist mit heftigem Weinen verbunden. Weinen entlastet den Menschen von den angestauten Gefühlen, die nach außen drängen. Tränen lindern den Schmerz. Man weint sich frei von seinen Schmerzen. Weinen wird zur einzigen Möglichkeit, einen Schmerz, der einen zu überwältigen und zu überfordern scheint, auszuhalten und auf ihn zu antworten. Der Mensch weiß keine andere Antwort mehr, weder in Worten noch in Gebärden, als sich dem Weinen zu überlassen, sich weinend loszulassen und so den Schmerz zuzulassen und ihn zugleich aufzulösen, abzuleiten. Weinen erleichtert, lindert, heilt. Die Tränen werden auf einmal befreiende, erlösende, selige Tränen. Der Schmerz schlägt um in Freude. Der Mensch erfährt in seinem Innersten ein Heilsein, das auch durch den Schmerz nicht mehr bedroht werden kann, eine Freude, an die Enttäuschungen und Mißerfolge nicht zu rühren vermögen. Es ist das Heil Gottes, das alles menschliche Unheil besiegt.

3. Gebet und Heilung

Selbsterkenntnis und Zerknirschung des Herzens bereiten den Boden für die Heilung des Menschen. Das Aufdecken der Wunden und das Durchleiden des verdrängten Schmerzes wirken an sich schon heilend. Verhärtungen werden aufgebrochen und die Stelle angezeigt, an der der Mensch mit seiner Arbeit an sich selbst anzusetzen hat. Das Gebet wird nun selbst als Mittel verwendet, schlechte Gedanken zu bekämpfen und zu besiegen und dadurch den Menschen zu heilen. Das Gebet ist für die Mönche nicht bloß Analyse, sondern zugleich Therapie. Je nach der Situation des Betenden steht einmal mehr das analytische, ein andermal mehr das therapeutische Element im Vordergrund. Bisher haben wir nur den analytischen Aspekt des Betens beschrieben: die Selbstbeobachtung und Selbsterkenntnis. Manchmal scheint jedoch das analytische Moment ganz vernachlässigt. Das Gebet wird als reine Therapie verstanden: es heilt den Menschen, ohne daß er seine bösen Gedanken aufdecken muß. Es ist Schutz vor Anfechtung durch Leidenschaften. So heißt es in einem Väterspruch:

Abbas Johannes sprach: Ich gleiche einem Menschen, der unter einem großen Baum sitzt und sieht, wie viele wilde Tiere und Schlangen gegen ihn herankommen. Kann er gegen sie nicht mehr bestehen, dann klettert er eilig auf den Baum und rettet sich. So auch ich: Ich sitze in meinem Kellion und sehe, wie schlechte Gedanken auf mich zukommen, und wenn ich gegen sie nichts mehr vermag, dann fliehe ich zu Gott im Gebete und werde so vor dem bösen Feind gerettet.[67]

Ähnlich versteht Cassian das Gebet als Schutz vor schlechten Gedanken, die den Menschen bedrängen und ihn zum Bösen hinziehen. Cassian erklärt diese Funktion des Gebetes damit, daß der Geist des Menschen sich notwendigerweise mit Gedanken beschäftigen müsse. Es komme daher darauf an, den Geist mit guten Gedanken zu erfüllen. Durch die Gedanken an Gott, durch Meditation, Lesung und Gebet kann er sich so vor schlechten Gedanken bewahren und seinen Geist heilen. Denn wenn er an göttliche Dinge denkt, haben die bösen Gedanken keinen Platz mehr in ihm. Doch das ist nicht bloß eine Platzfrage. Die Gedanken wirken auf den Geist ein und verwandeln ihn in das, was sie ihm darbieten. Durch das Denken an Gott bekommt der Mönch langsam Geschmack an Gott. Er wird in das verwandelt, was er denkt. Von dieser erkenntnistheoretischen Voraussetzung aus ist für Cassian das Gebet ein wirksames Mittel, den Menschen innerlich zu verwandeln und zu heilen:

Es steht zum großen Teile bei uns, daß die Beschaffenheit der Gedanken verbessert werde, und daß entweder die heiligen und geistigen in unsern Herzen wachsen oder die irdischen und fleischlichen. Daher wird die häufige Lesung und die beständige Erwägung der heiligen Schriften angewendet, damit uns dadurch Gelegenheit geboten sei, das Gedächtnis mit geistigem Inhalt zu erfüllen.[68]

Wir gesunden also an den göttlichen Gedanken, denen wir uns im Gebet hingeben. Bei dieser Methode brauchen unsere Gedanken, Affekte und Stimmungen nicht erst analysiert zu werden. Sie werden vielmehr dadurch geheilt, daß sie durch gute ersetzt werden. In den Worten der Schrift, an die wir im Gebet denken, ist Gottes Geist selbst in uns, Gottes heiliger und zugleich heilender Geist.

In den Vätersprüchen werden uns noch weitere Methoden empfohlen, mit den Gedanken umzugehen. Die Gedanken stehen bei den Altvätern für Anfechtungen und Versuchungen, für all das, was uns innerlich krank zu machen droht. Der rechte Umgang mit den Gedanken ist daher ein Mittel, von seinen Wunden und Krankheiten geheilt zu werden. Die 1. Methode ist, sich energisch von den Gedanken abzuwenden. So sagt ein Altvater:

Wenn du zu ihnen (den Gedanken) nicht energisch sagst: „Macht euch davon", werden sie nicht weggehen. Denn solange sie Frieden haben, gehen sie nicht weg.[69]

Die 2. Methode ist, die Gedanken gar nicht zu beachten, sondern zum Gebet seine Zuflucht zu nehmen, zu Gott aufzuschauen. So gibt Makarius einem Mönch den Rat:

Wenn dich ein Gedanke quält, dann schaue nicht nach unten, sondern ganz und gar nach oben. Auf der Stelle wird dir der Herr helfen.[70]

Ein anderer rät, sich in die Gegenwart Gottes zu versetzen und vor Gott sein Möglichstes gegen die schlechten Gedanken zu tun.[71] Die Erinnerung an Gottes Gegenwart schützt vor Anfechtungen und heilt den, der durch sie verwundet wurde. Gottes Gegenwart ist wie ein Sauerstoffzelt, in dem der Kranke frei zu atmen vermag.

Eingehüllt in Gottes Gegenwart wird unser Geist gesund.

Als 3. therapeutische Methode empfehlen weise Väter, beim Ansturm von quälenden Gedanken aufzustehen und zu beten. Die körperliche Bewegung vertreibt die Gedanken und macht den Mönch fähig zu einem wirksamen Gebet. Oft wird die körperliche Bewegung noch weiter entfaltet. Der Mönch soll eine Runde um sein Kellion machen, oder sich mit dem Zeichen des Kreuzes bezeichnen:

> Es passiert, daß dich, während du dasitzt, die Gedanken und Dämonen bedrängen. Dann erhebe dich, geh nach draußen, sprich ein Gebet, mache draußen eine Runde und sie werden sich weit von dir entfernen.[72]

Die Mönche wissen, daß nicht alles in uns aufgedeckt werden muß, bevor es geheilt werden kann. Sie vertrauen auf die heilende Kraft des Gebetes. Durch bloßes Beten kann auch einer gesund werden, den die Analyse der Gedanken überfordert. Ich brauche die Krankheit nicht unbedingt zu kennen, von der ich geheilt werden will. Wenn ich gesund lebe, wenn ich die Arznei des Gebetes Tag für Tag einnehme, dann heilen auch mir unbekannte Krankheiten. Denn das Gebet verbindet mich mit Gott, dem wahren Arzt, der meine Wunden besser kennt als ich. Sich ihm im Gebet auszusetzen, ist daher das beste therapeutische Mittel, das die Mönche uns empfehlen.

Das Gebet wird von den Mönchen als Heilmittel verstanden. Es gibt jedoch verschiedene Arten von Arzneien. Die einen spüren die Krankheitsursachen auf, legen sie bloß, verstärken sie erst, bevor sie sie bekämpfen. Andere Arzneien sind wie Salben, die auf die Wunden gestrichen werden, ohne die Wunden genauer zu kennen, oder wie Stärkungsmittel, die die Widerstandskraft des Menschen gegen alle im einzelnen gar nicht analysierten Krankheitskeime aktivieren. Ähnlich ist das Gebet für die Mönche einmal mehr ein aufdeckendes und analysierendes Mittel. Durch Selbstbeobachtung und Selbsterkenntnis werden die Ursachen der Fehlhaltungen bloßgelegt. Ein andermal ist das Gebet mehr eine Heilsalbe oder ein Stärkungsmittel, das gegen alle Krankheiten eingesetzt werden kann, ohne um sie im einzelnen zu wissen. Durch ständiges Beten wird der Mensch innerlich immun gegen Sünde und Schuld. Fehlhaltungen, die sich in ihm eingeprägt haben, werden langsam abgebaut. Diese Heilung vollzieht sich oft unmerklich, lange Zeit nicht erkennbar. Nach außen ist keine Veränderung zu sehen, doch im Innern, im Unbewußten bahnt sich eine Wandlung an. Tag für Tag pflügt der Bauer sein Feld und nichts ändert sich. Aber das gepflügte Feld bringt seine Frucht. So wächst auch in dem vom Gebet gepflügten Unbewußten für viele unbemerkt die Frucht der Verwandlung.

Analytische und therapeutische Formen des Gebetes sind für die Mönche keine Gegensätze. Beide Methoden werden je nach Situation und Fassungskraft des einzelnen empfohlen. Manchmal werden sie nacheinander angewandt, zuerst das zudeckende, und wenn das nicht hilft, wenn die Unruhe und die innere Verkehrtheit bleiben, die aufdeckende, die analysierende. Doch die Mönche kennen auch Gebetsformen, die in sich schon Analyse und Therapie verbinden. Das gleiche Gebet deckt auf und heilt. Ein gutes Beispiel für diese Gebetsmethode ist das Antirrhetikon des Evagrius. Hier werden die schlechten Gedanken, die inneren Fehlhaltungen nicht einfach übergangen, indem sie durch Gedanken an Gott ersetzt werden. Vielmehr werden die Gedanken, die uns nach Evagrius die Dämonen eingeben, bewußt gemacht und gegen sie werden dann sogenannte Gegengedanken gesetzt. So soll sich etwa der Mönch, wenn er spürt, daß er geizig ist, seinen Geiz bewußt machen und dagegen ein Wort aus der Schrift setzen, das den Geiz überwinden kann. Evagrius analysiert zuerst den Gedanken:

> Gegen den Gedanken, der es nicht zuläßt, dem bedürftigen Bruder etwas zu geben und dem, der uns darum bittet, Geld zu leihen + Dt 15,7f: Verschließe deine Hand nicht vor dem Bedürftigen, sondern öffne sie ihm und gib ihm, soviel er bittet.[73]

Indem sich der Mönch die Anfechtung bewußt macht und gegen sie immer wieder Gottes Wort setzt, wird die Anfechtung überwunden. Gottes Wort siegt über den Gedanken, den der Dämon ihm eingegeben hat. Es befreit ihn von dem Laster, das ihn gefangen halten will, und heilt ihn von der leidenschaftlichen Stimmung, von der Unruhe, die die schlechten Gedanken in ihm erzeugen. Das Gebet wird so zu einem Ringen mit der Krankheit. Der Beter klammert sich dabei an Gott, der durch sein im Gebet ständig wiederholtes und meditiertes Wort die Krankheit heilt.

Die Vätersprüche kennen ähnliche Formen des Gebetes, auf die Anfechtung durch schlechte Gedanken zu reagieren. Antonius rät einem Bruder, er solle die Gedanken ruhig in sich einlassen. Er soll nur nicht vor ihnen fliehen, indem er seinen Körper in die Zelle einsperrt. Wenn die Gedanken ihn dann bedrängen, soll er ihnen Worte aus der heiligen Schrift entgegenhalten. Damit kann er sie besiegen:

Ein Bruder, der von Gedanken geplagt wurde, aus der Zelle zu gehen, sagte das Abbas Antonius. Der Alte sagte ihm: „Geh, setze dich in deine Zelle. Gib deinen Körper als Pfand den Mauern deiner Zelle und geh nicht hinaus. Laß deine Gedanken gehen, wohin sie wollen, nur laß deinen Körper nicht aus der Zelle gehen. Er wird leiden, wird keine Arbeit tun können. Er wird schließlich Hunger haben und es wird die Stunde der Mahlzeit kommen, die dich auf das Essen hinweist. Wenn der Hunger dir kurz zuvor sagt: „Esse ein wenig Brot für dich", sage ihm wach: „ Der Mensch lebt nicht vom Brot allein, sondern von jedem Wort, das aus dem Munde Gottes kommt." (Dt 8,3) und er wird dir sagen: „Trink ein wenig Wein, wie der selige Timotheus." Antworte ihm: „Erinnere dich an die Kinder des Aminadab, die das Gebot ihres Vaters beobachteten." (Jr 35,6) Wenn der Schlaf sich über dich legen will, empfange ihn nicht, denn es steht im hl. Evangelium geschrieben: „Wachet und betet." (Mt 26,41) Und es steht auch geschrieben: „Sie haben geschlafen und nichts profitiert." (Ps 75,6) Nähre deine Seele mit den Worten Gottes, mit Wachen, Beten und vor allem mit dem ständigen Denken an den Namen unseres Herrn Jesus Christus. Und so wirst du den Weg finden, wie du die schlechten Gedanken besiegen kannst.[74]

Eine andere Methode besteht darin, sich mit dem Gedanken erst einmal zu beschäftigen und ihn zu ordnen. Falls er immer wieder kommt, soll man ihn nicht beachten:

Abbas Poimen sagte: „Wenn dir ein Gedanke kommt wegen der Notwendigkeit der leiblichen Bedürfnisse und du sie einmal in Ordnung gebracht hast, und wenn er dann ein zweites Mal kommt, und du ihn wieder geordnet hast, und wenn er dann ein drittes Mal kommt, dann achte nicht darauf, denn es ist ein unfruchtbarer Gedanke.[75]

Den Gedanken in sich einzulassen, kann so weit gehen, daß man ihn in einer Art Rollenspiel ausagiert. Dadurch findet man zur inneren Ruhe:

Ich hörte von einem Alten erzählen: Wenn seine Gedanken ihm sagten, er solle jemanden besuchen, dann erhob er sich, nahm seine Melote, ging hinaus und machte eine Runde um seine Zelle. Dann trat er wieder ein, tröstete sich mit dem Gast, der zu sein er sich vorstellte. Und durch dieses Tun fand er Ruhe.[76]

Andere Väter treiben mit ihren Gedanken Spott. Sie tun so, als ob sie sie erfüllen würden. Dadurch verlieren die Anfechtungen ihre Bedrohlichkeit:

Man erzählte vom Abbas Theodor und dem Abbas Lukios, denen von Ennatu, daß sie fünfzig Jahre mit ihren Gedanken Spott trieben, indem sie sagten: „Nach diesem Winter gehen wir von hier fort." Wenn dann der Sommer kam, sagten sie: „Nach diesem Sommer wandern wir von hier aus." Auf diese Weise machten es diese unvergeßlichen Väter die ganze Zeit.[77]

Einem andern jedoch hilft diese Methode nicht. Er muß zu einem andern Mittel greifen, er muß sich den Gedanken in einer recht humorvollen Szene ausspielen:

Ein Bruder hatte einen Gedanken, der ihn bekämpfte: „Du mußt jenen Alten besuchen." Doch er verschob es von Tag zu Tag, indem er sagte: „Morgen werde ich gehen." Und 3 Jahre lang kämpfte er gegen diesen Gedanken. Schließlich sagte er zu sich: Nimm an, daß du zu jenem Alten gegangen bist und du sagst: „Geht es dir gut, Vater. Seit langem wünsche ich, eure Heiligkeit zu sehen." Dann nahm er ein Waschbecken, wusch sich und spielte die Rolle des Alten: „Du tust gut, zu kommen, Bruder. Vergib mir, denn du hast dich sehr für mich abgemüht. Der Herr vergelte es dir." Dann kochte er, aß und trank kräftig und sogleich verschwand der Kampf.[78]

Die zuletzt angeführten Methoden scheinen nichts mit Beten zu tun zu haben. Man könnte eher psychologische Techniken dahinter vermuten: Psychodrama, Rollenspiel oder dergleichen. Doch für die Mönche war es klar, daß sie sich nicht selbst heilen konnten, daß sie durch keine Technik den Sieg über die Anfechtungen erringen konnten. Das Durchspielen eines bedrängenden Gedankens ist für sie nur eine etwas unkonventionelle Form des Dialogs mit Gott. Wenn das Sprechen mit Gott nichts nützt, weil es zu sehr im Kopf bleibt, wenn die Analyse der Ursachen und Hintergründe der Gedanken keinen Erfolg zeigt, dann ist es für manche eine Möglichkeit, den Gedanken vor Gott durchzuspielen. Statt mit Worten betet man dann in der Gebärde, im Spiel, um im Spiel von Gott die Antwort zu erlauschen, eine Antwort, die nicht in einem Wort besteht, sondern in der Ruhe, im Frieden, in der Freiheit von der Anfechtung.

Das Gebet ist kein therapeutisches Mittel, über das der Mönch wie über eine Technik verfügen könnte. Das Gebet heilt, weil es uns mit Gott verbindet. Gott ist der eigentliche Arzt, der jede Wunde zu heilen versteht. Im Gebet überlassen wir uns mit unsern Wunden Gott,um an ihm als dem am Kreuze selbst verwundeten Arzt zu gesunden. Im Gebet erfahren wir Gottes uns erforschende und zugleich heilende Gegenwart. Weil das Gebet uns in Gottes Gegenwart stellt und uns mit Gottes Geist erfüllt, kann es heilen. Zahlreiche Vätersprüche beschreiben diese heilende Funktion des Gebetes.

Das anhaltende Gebet verbessert in kurzem den Geist.[79]
Das Gebet ist Schutzmittel gegen Traurigkeit und Mutlosigkeit.[80]
Der Psalmengesang stillt die Leidenschaften und läßt die Unruhe des Körpers zur Ruhe kommen.[81]
Das Gebet erzeugt Milde und Güte.[82]
Das Gebet bringt Freude und Danksagung hervor.[83]

Die heilende und lindernde Wirkung des Gebetes wird vor allem in den Texten des östlichen Mönchtums gepriesen. Der Russische Pilger vertraut auf die heilende Kraft des Gebetes. Analyse der Gedanken und Kampf gegen die Laster aus eigener Kraft führen nur zur Verzweiflung. Der Mensch ist damit überfordert. Gott hat uns daher das Gebet als Heilmittel geschenkt:

Glaube mir, wenn du dieses Gebet verrichten wirst, ohne das zu beachten, was dir durch den Kopf geht, wirst du bald Trost verspüren, deine ganze Angst und deine Belastungen werden vergehen, zum Schluß wirst du dich ganz beruhigen, wirst ein gottesfürchtiger Mann werden und all deine sündhaften Leidenschaften werden verschwinden.[84]

Wenn der Mensch sich nur immer wieder an das Gebet hält und unablässig zu beten versucht, so wird in ihm alles heil, unabhängig von seiner eigenen Kraft gegenüber den Leidenschaften. Das Beten ersetzt für den Russischen Pilger das ganze Werk der Askese. Und er gibt die einfachen Ratschläge:

1. Bete und denke alles, was du nur willst, und dein Denken wird durchs Gebet geläutert werden. Das Gebet wird deinen Geist erleuchten, es wird alle abwegigen Gedanken vertreiben und dich beruhigen.
2. Bete und tue, was du willst, und deine Werke werden Gott wohlgefällig sein, dir selber aber nützlich und heilbringend!
3. Bete und bemühe dich nicht, aus eigener Kraft deiner Leidenschaften Herr zu werden. Das Gebet wird sie in dir zunichte machen.
4. Bete und fürchte nichts, fürchte dich weder vor Unglück noch vor Unheil – das Gebet wird dir zur Abwehr dienen und alles abwenden.
5. Bete nur irgendwie, aber immer, und laß dich nicht verwirren! Sei fröhlich im Geiste und ruhig: Das Gebet wird alles machen und dich unterweisen.[85]

Allerdings wissen die geistlichen Schriftsteller auch, daß das Gebet uns nicht von der Pflicht enthebt, selbst Hand anzulegen. Gebet und Askese sind keine Gegensätze. Beide gehören zusammen. Ohne Gebet wird die Askese zu einem Vertrauen auf sich und seine Leistung. Ohne Askese aber bleibt das Gebet leeres und unverbindliches Gerede. So sagt die Philokalie:

Vergiß nie, daß das Gebet für sich allein nicht vollkommen ist, sondern gemeinsam mit allen Tugenden, welche gleichsam Organe der Seele sind, die unseren inneren Organismus ausmachen. Erst wenn sie bis zu einem gewissen Grade entwickelt sind, vermögen wir, im Geiste zu leben. In dem Maße, als du sie erwirbst, vervollkommnet sich auch dein Gebet. Ohne sie bringt das Gebet keine Frucht.[86]

Das Gebet führt

nur dann zu Erfolg, wenn der Betende sein Inneres überwacht und bereit ist, gegen seine Leidenschaften anzukämpfen.[87]

Andernfalls, so sagen die geistlichen Schriftsteller, würde man seinen Verstand verlieren. Mystik anzustreben, ohne den harten Weg der Askese zu gehen, ist nach ihren Erfahrungen nicht möglich, ohne daß man Schaden an seiner psychischen Gesundheit nähme. Würde man diese Einsicht der Mönche heute beachten, so könnte man viele psychischen Schäden vermeiden, die manche durch Meditationsformen erleiden, die nur das Glück oder die Erleuchtung versprechen, ohne auf die Forderungen schonungsloser Selbsterkenntnis und harter Arbeit an sich selbst hinzuweisen, die als Tor vor diesen Verheißungen stehen.

Nicht die Selbsterkenntnis ist das Ziel des Gebetes, sondern Gott selbst, dem man begegnen, den man erfahren, in dessen Gegenwart man immer leben möchte. Die Selbsterkenntnis ist nur eine Bedingung, daß der Mensch gut beten kann. Doch diese Bedingung wird nicht in einer psychologischen Vorarbeit hergestellt. sondern durch das Beten selbst. Indem der Mönch versucht, gut zu beten, stößt er auf sich selbst, lernt er sich selbst immer besser kennen und wird so fähig zu einem intensiveren und reineren Gebet. Betend lernt er zu beten. Er greift also nicht hilfesuchend erst zu psychologischen Methoden, um sein religiöses Tun unter die Maßstäbe der Psychologie zu stellen. Die Mönche vertrauen vielmehr auf die läuternde und heilende Kraft des Gebetes. Das ehrliche Gebet, in dem der Mensch nicht sich selbst genießen, sondern Gott begegnen will, deckt schonungslos alle Fehlhaltungen auf. Es erfüllt die Funktion psychoanalytischer Methoden, ohne die religiöse Ebene zu verlassen.

Wir können heute nicht mehr so tun, als ob es keine Psychologie gäbe. Es hat auch keinen Zweck, gegen sie zu polemisieren. Denn sie hat ohne Zweifel Großes geleistet und wichtige Erkenntnisse über den Menschen gewonnen, sie hat viele Methoden entwickelt, die ihm helfen und ihn heilen können. Doch auf dem Hintergrund der von der Psychologie geprägten Sorge für die Seele des Menschen käme es heute darauf an, neu Vertrauen in den religiösen Weg zu setzen. Die Mönche und viele, die jahrhundertelang ihren Weisungen gefolgt sind, haben reiche Erfahrungen über den Menschen gesammelt,

Erfahrungen und Erkenntnisse, die die Konfrontation mit der heutigen Psychologie nicht zu scheuen brauchen. Es täte uns heute gut, uns diesen Erfahrungen zu stellen, in sie durch eine intensive Gebetspraxis selbst einzutauchen, um so ihre heilende Wirkung an uns spüren zu können.

Betend und immer wieder betend haben die Mönche erfahren, wer sie sind, welche Fehlhaltungen, Neigungen und Stimmungen sie innerlich krank machen und von Gott trennen. Im Gebet haben sie zugleich gespürt, daß sie eigentlich Bild Gottes sind, und daß es darauf ankäme, dieses Bild ungetrübt und unverfälscht Gestalt werden zu lassen. Doch sie erleben es immer wieder, daß sie das Bild Gottes in sich nicht aus eigener Kraft wiederherstellen können, sondern daß nur Gott es heilen kann. Im Umgang mit Gott, im Gespräch mit ihm und in der Erfahrung seiner Gegenwart, die uns einhüllt, können wir Gottes heilendes Wirken an uns erfahren. Die Abgründe in unserem Innern werden durch das Gebet allmählich bewohnbar. Das Dunkle und Dämonische verliert seine Bedrohlichkeit, das Schwache und Hinfällige wird geheilt, launenhafte Stimmungen und Emotionen weichen einer gelassenen Ruhe und stillen Freude. Nicht wir müssen unsere Selbstverwirklichung leisten, sondern Gott selbst verwirklicht uns, indem er sein verunstaltetes Bild in uns wiederherstellt. Wer sich im Gebet Gott und seiner heilenden Gegenwart überläßt, der findet zu sich selbst, der söhnt sich mit sich aus, er wird mit sich identisch, er wird heil.

Anmerkungen:

[1] PG 40, 1267.
[2] Clemens v. Alexandrien, Der Erzieher III, 1, übers. v. O. Stählin, München 1934, 134.
[3] PG 79, 536C.
[4] PL 180, 494; vgl. dazu J. M. Déchanet, La connaissance de soi d'après Guillaume de Saint-Thierry, Supplément à la Vie Spirituelle, 1938.
[5] PL 183, 571D; vgl. S. Gilson, Die Mystik des hl. Bernhard von Clairvaux, Wittlich 1936, 111.
[6] Apophthegma (= Apo) 816; zit. nach B. Miller, Weisung der Väter, Freiburg 1965.
[7] Apo 4.
[8] Des hl. Augustin Bekenntnisse, übertr. u. eingel. v. H. Hefele, Jena 1921, 148.
[9] Apo 546.
[10] Apo 1125.
[11] PG 79, 1178.
[12] Wilhelm v. St. Thierry, Meditativae Orationes 9, PL 180, 232D – 233 A; übers. v. B. Schellenberger, Maria Wald.
[13] Ebd. 233C.
[14] Les sentences des pères du désert, troisiéme recueil (= III), hrsg. v. L. Regnault, Solesmes 1976, 147; Am 35, 13.
[15] Gregor der Große, Dialoge II, 3.
[16] Kleine Philokalie, übers. v. M. Dietz, Einsiedeln 1956, 107.
[17] Das immerwährende Herzensgebet. Russische Originaltexte, zus.gest. u. übers. v. A. Selawry, Weilheim ^{3}1976, 120.
[18] J. Hausherr, Leben aus dem Gebet, hrsg. v. M. Olphe-Galliard, Salzburg 1969, 202.
[19] W. Malgo, Gebet und Erweckung, Pfäffikon 1972, 16.
[20] Herzensgebet 102.
[21] Ebd. 117.
[22] Vgl. C. G. Jung, Briefe I, Olten 1972, 418.
[23] Vgl. C. G. Jung, Ges. Werke, Bd. 9, 1. Halbb., Olten 1976, 50.
[24] Herzensgebet 99f.
[25] Ebd. 101.
[26] Ebd. 50.
[27] PG 40, 1230.

[28] Joh. Cassianus, 24 Unterredungen mit den Vätern, übers. v. K. Kohlhund, Kempten 1879, U 19, 16.
[29] Vgl. C. G. Jung, Ges. Werke, Bd. 8, Zürich 1967, 90ff; Bd. 9, 1. Halbb., Olten 1976, 207.
[30] Marie-Louise v. Franz, Aktive Imagination in der Psychologie von C. G. Jung: Meditation in Religion und Psychotherapie, hrsg. v. W. Bitter, Stuttgart 1958, 144.
[31] Les sentences III 98; XVI 17.
[32] Regel des hl. Benedikt, 53. Kap.
[33] F. M. Dostojewski, Die Brüder Karamasow, Berlin 1950, I 441f.
[34] Regel, 66. Kap.
[35] Herzensgebet 199.
[36] Vgl. zum Folgenden: J. Hausherr, Penthos. La doctrine de la componction danz L'Orient chrétien, Roma 1944; M. Lot-Borodine, Le mystère du „don des larmes" dans L'Orient chrètien, Supplément à la Vie Spirituelle 1936.
[37] Vgl. Evagrius Ponticus, Antirrhetikon, hrsg. v. W. Frankenberg, Berlin 1917, acedia 10.
[38] PG 79, 1167.
[39] Cassian, U 9, 29.
[40] Ausgewählte Abhandlungen des Bischofs Isaak von Ninive, übers. v. G. Bickell, Kempten 1874, 342.
[41] Hausherr, Leben aus dem Gebet, 116.
[42] F. M. Dostojewski, Rodion Raskolnikoff, München 1920, I 37.
[43] Vgl. H. Plessner, Lachen und Weinen. Eine Untersuchung nach den Grenzen menschlichen Verhaltens, Bern 1950, 89f, 185ff.
[44] S.P.N. Ephraem Syri Opera Omnia, tom II, Roma 1740, 347; zit. n. Hausherr, Penthos 38.
[45] André Louf, Reue und Gotteserfahrung. Manuskript der Vorbereitungskommission des Äbtekongresses 1972, 3, 22.
[46] Joh. Climacus, Die Leiter zum Paradiese, übers. v. einem kath. Geistlichen, Regensburg 1874, 139.
[47] PL 145, 307 – 314.
[48] PL 147, 309.
[49] PG 79, 1183.
[50] PG 40, 1270.
[51] PL 184, 479.
[52] Plessner, Lachen und Weinen, 184.
[53] Ebd. 192.

[54] Vgl. Hausherr, Penthos 188.
[55] Vgl. P. Adnès, Larmes: Dictionnaire de Spiritualité, Paris 1976, Tome IX, 197; vgl. PL 196, 98B.
[56] Cassian, U 9, 30.
[57] Vgl. PG 79, 512.
[58] Vgl. ebd. 512f.
[59] Les sentences des pères du désert, nouveau recueil (= II), hrsg. v. L. Regnault, Solesmes ²1977, 99f; N 548.
[60] H. Fischle-Carl, Fühlen was Leben ist. Die Bedeutung der Gefühlsfunktion, Stuttgart 1977, 18.
[61] Plessner, Lachen und Weinen 172.
[62] Climacus 133.
[63] Fischle-Carl 25.
[64] Ebd. 25.
[65] Vgl. A. u. M. Mitscherlich, Die Unfähigkeit zu trauern, München 1968.
[66] C. G. Jung, Ges. Werke, Bd. 11, Zürich 1963, 82.
[67] Apo 327.
[68] Cassian, U 1, 17.
[69] Les sentences II, 69; N 453.
[70] Apo 456.
[71] Vgl. Les sentences III, 68; II 15.
[72] Les sentences II, 129; N 592/62.
[73] Evagrius, Antirrhetikon, philargyria 9.
[74] Les sentences III, 141f; Am 22, 14.
[75] Apo 614.
[76] Les sentences II, 49; N 394.
[77] Apo 298.
[78] Les sentences II, 64; N 443.
[79] Apo 1128.
[80] Apo 548.
[81] PG 79, 1186.
[82] PG 79, 1170.
[83] PG 79, 1170.
[84] Aufrichtige Erzählungen eines russischen Pilgers, hrsg. u. eingel. v. E. Jungclausen, Freiburg ²1975, 171.
[85] Ebd. 210.
[86] Herzensgebet 111.
[87] Ebd. 159.

MÜNSTERSCHWARZACHER KLEINSCHRIFTEN

Schriften zum geistlichen Leben ISSN 0171-6360

1	Grün, A., **Gebet und Selbsterkenntnis**	(1979) 56 S.
2	Doppelfeld, B., **Der Weg zu seinem Zelt**	(1979) 64 S.
3	Ruppert/Grün, **Christus im Bruder**	(1979) 56 S.
4	Hugger, P., **Meine Seele, preise den Herrn**	(1979) 84 S.
5	Louf, A., **Demut und Gehorsam**	(1979) 55 S.
6	Grün, A., **Der Umgang mit dem Bösen**	(1980) 84 S.
7	Grün, A., **Benedikt von Nursia**	(1979) 60 S.
8	Hugger, P., **Ein Psalmenlied, dem Herrn,** Teil 1	(1980) 72 S.
9	Hugger, P., **Ein Psalmenlied, dem Herrn,** Teil 2	(1980) 80 S.
10	Hugger, P., **Ein Psalmenlied, dem Herrn,** Teil 3	(1980) 80 S.
11	Grün, A., **Der Anspruch des Schweigens**	(1980) 72 S.
12	Schellenberger, B., **Einübung ins Spielen**	(1980) 52 S.
13	Grün, A., **Lebensmitte als geistliche Aufgabe**	(1980) 60 S.
14	Doppelfeld, B., **Höre – nimm an – erfülle**	(1981) 68 S.
15	Friedmann, E., **Mönche mitten in der Welt**	(1981) 76 S.
16	Grün, A., **Sehnsucht nach Gott**	(1982) 64 S.
17	Ruppert/Grün, **Bete und arbeite**	(1982) 80 S.
18	Lafrance, J., **Der Schrei des Gebetes**	(1983) 64 S.
19	Grün, A., **Einreden**	(1983) 78 S.
22	Grün, A., **Auf dem Wege**	(1983) 72 S.
23	Grün, A., **Fasten – Beten mit Leib und Seele**	(1984) 76 S.
25	Kreppold, G., **Die Bibel als Heilungsbuch**	(1985) 80 S.
26	Louf/Dufner, **Geistliche Vaterschaft**	(1984) 48 S.
28	Schmidt, M.-W., **Christus finden in den Menschen**	(1985) 48 S.
29	Grün/Reepen, **Heilendes Kirchenjahr**	(1985) 88 S.
30	Durrwell, F.-X., **Eucharistie – das österl. Sakrament**	(1985) 76 S.
31	Doppelfeld, B., **Mission**	(1985) 62 S.
32	Grün, A., **Glauben als Umdeuten**	(1986) 68 S.
36	Grün, A., **Einswerden – Der Weg des hl. Benedikt**	(1986) 80 S.
37	Community, B., **Regel für einen neuen Bruder**	(1986) 48 S.
39	Grün, A., **Dimensionen des Glaubens**	(1987) 80 S.
41	Domek, J., **Gott führt uns hinaus ins Weite**	(1987) 72 S.
44	Grün/Reitz, **Marienfeste**	(1987) 80 S.
46	Grün/Reepen, **Gebetsgebärden**	(1988) 72 S.
47	Kohlhaas, E., **Es singe das Leben**	(1988) 60 S.
50	Grün, A., **Chorgebet und Kontemplation**	(1988) 68 S.
51	Doppelfeld/Stahl, **Mit Maria auf dem Weg d. Glaubens**	(1989) 68 S.
52	Grün, A., **Träume auf dem geistlichen Weg**	(1989) 68 S.
53	Kreppold, G., **Die Bergpredigt,** Teil 1	(1989) 88 S.
54	Kreppold, G., **Die Bergpredigt,** Teil 2	(1989) 72 S.

57	Grün/Dufner, **Gesundheit als geistliche Aufgabe**	(1989)	108 S.
58	Grün, A., **Ehelos – des Lebens wegen**	(1989)	88 S.
59	Staniloae, D., **Gebet und Heiligkeit**	(1990)	48 S.
60	Grün, A., **Gebet als Begegnung**	(1990)	88 S.
61	Doppelfeld, B., **Mission als Austausch**	(1990)	72 S.
62	Abeln/Kner, **Kein Weg im Leben ist vergebens**	(1990)	56 S.
63	Faricy/Wicks, **Jesus betrachten**	(1990)	40 S.
64	Grün, A., **Eucharistie und Selbstwerdung**	(1990)	94 S.
65	Doppelfeld, B., **Ein Gott aller Menschen**	(1991)	80 S.
66	Abeln/Kner, **Wie werde ich fertig mit meinem Alter?**	(1992)	76 S.
67	Grün, A., **Geistl. Begleitung bei den Wüstenvätern**	(1992)	100 S.
68	Grün, A., **Tiefenpsycholog. Schriftauslegung**	(1992)	108 S.
69	Doppelfeld, B., **Symbole,** Teil 1	(1993)	112 S.
70	Doppelfeld, B., **Symbole,** Teil 2	(1993)	100 S.
71	Grün, A., **Bilder von Verwandlung**	(1993)	100 S.
72	Simons, G. F., **Religiöse Erfahrung,** Teil 1	(1993)	100 S.
73	Müller, W., **Meine Seele weint**	(1993)	68 S.
74	McDonnell, K., **Die Flamme neu entfachen**	(1993)	44 S.
75	Alphonso, H., **Die persönliche Erfahrung**	(1993)	70 S.
76	Grün/Riedl, **Mystik und Eros**	(1993)	114 S.
77	Ziegler, G., **Der Weg zur Lebendigkeit**	(1993)	76 S.
78	Doppelfeld, B., **Symbole,** Teil 3	(1993)	88 S.
79	Ruppert, F., **Der Abt als Mensch**	(1993)	48 S.
80	Tiguila, B., **Afrikanische Weisheit**	(1993)	50 S.
81	Grün, A., **Biblische Bilder von Erlösung**	(1993)	102 S.
82	Grün/Dufner, **Spiritualität von unten**	(1994)	108 S.
83	Doppelfeld, B., **Symbole,** Teil 4	(1994)	74 S.
84	Wilde, M., **Ich verstehe dich nicht!**	(1994)	56 S.
85	Abeln/Kner, **Das Kreuz mit dem Kreuz**	(1994)	68 S.
86	Ruppert, F., **Mein Geliebter, die riesigen Berge**	(1995)	85 S.
87	Doppelfeld, B., **Zeugnis und Dialog**	(1995)	92 S.
88	Friedmann, E., **Die Bibel beten**	(1995)	112 S.
89	Müller, W., **Gönne dich dir selbst**	(1995)	74 S.
90	Ruppert, F., **Urwald und Weisheit**	(1995)	72 S.
91	Simons, G. F., **Religiöse Erfahrung,** Teil 2	(1995)	102 S.
92	Grün, A., **Leben aus dem Tod**	(1995)	104 S.
93	Grün, A., **Treue auf dem Weg**	(1995)	116 S.
94	Friedmann, E., **Ordensleben**	(1995)	104 S.
95	Stenger, H., **Gestaltete Zeit**	(1996)	80 S.
96	Doppelfeld, B., **Bleiben**	(1996)	74 S.
97	Schütz, Ch., **Mit den Sinnen glauben**	(1996)	60 S.
98	Johne, K., **Wortgebet und Schweigegebet**	(1996)	100 S.